D0349514

Rosa en de wonderschoenen

Deze publicatie is tot stand gekomen mede dankzij financiële steun
van het Nederlands Literair Productie- en Vertalingenfonds en de
Mondriaan Stichting

De auteur ontving voor het schrijven van dit boek
een werkbeurs van het Fonds voor de Letteren

© tekst Ienne Biemans 2010
© illustraties Ceseli Josephus Jitta 2010
Alle rechten voorbehouden
Vormgeving Renée Koldewijn
NUR 291
ISBN 978 90 468 0711 8
www.nieuwamsterdam.nl/iennebiemans
www.nieuwamsterdam.nl/ceselijosephusjitta

© **Mixed Sources**
Productgroep uit goed beheerde
bossen, gecontroleerde bronnen
en gerecycled materiaal.
www.fsc.org Cert no. CU-COC-803902
© 1996 Forest Stewardship Council

Ienne Biemans en Ceseli Josephus Jitta

Rosa en de wonderschoenen

Nieuw Amsterdam *Uitgevers*

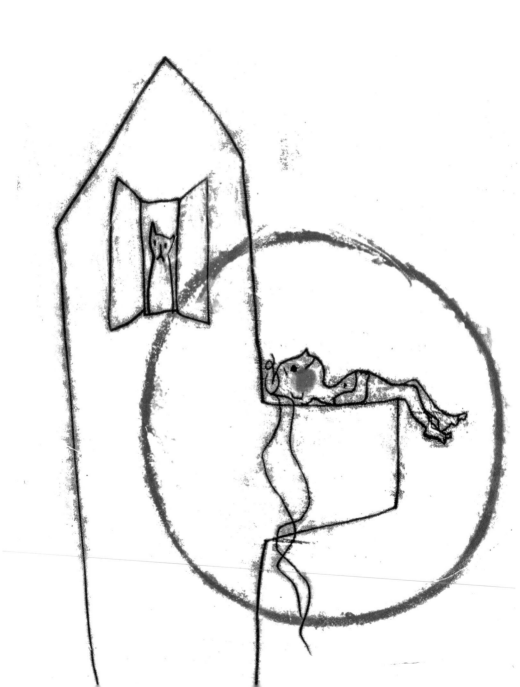

Rosa

Rosa van de berg lag in de zon
tussen de zonnebloemen op het balkon.
Maandag, dinsdag, woensdag, donderdag,
vrijdag, zaterdag en op zondag,
toen ze nog op het balkon lag
begonnen de klepelklokjes
te klingelen in het dal,
de vogeltjes naar haar te fluiten
van ver weg en overal.
Ze floten: Rosa, kom opstaan
om met de zon op stap te gaan.
Dat heeft ze toen gedaan.
Met wonderschoenen aan.

Op stap

Psst! Meisje, hé. Ben je alleen?
Blijf even staan. Waar ga je heen?
Ga je naar het huis van Toketore?
Zeg eens wat.
Kun je niet praten?
Ben je soms je tong verloren?
Rosa keek de jager aan
met stijf dichtgeklemde kaken.
Ze was haar tong inderdaad kwijt!
Maar wat had hij daarmee te maken?!

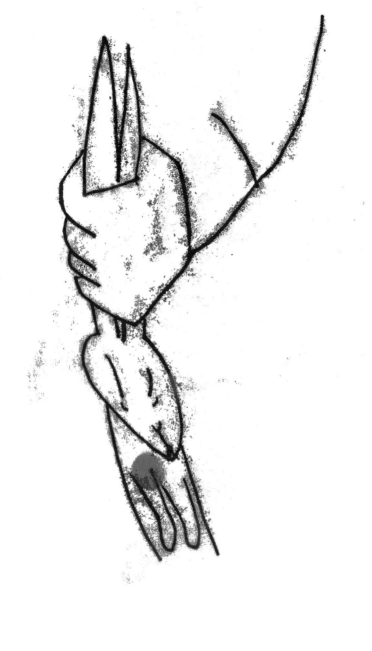

In het bos

Een kleine reus zat,
vinger in zijn neusgat,
opzij van het bospad
op een berg dorre blaren
voor zich uit te staren.
Hij zocht iets in zijn neusgat
en wat hij daar vond
stak hij met een kromme vinger
in zijn kleine reuzenmond.
En wat vond hij daar in zijn neusgat?
Vind je smullen, hè, kleine reus,
zei de moederreus likkebaardend,
die wolven uit je neus.

Wolven?! Getsiederrie! dacht Rosa.
Snotwolven zeker. Smullen! Te gek!

Sjlurpsjlurp.
De kleine reus slikte.
En smakte. Mmm, smekkerdesmek!

In het gras

Rosa hoorde zingen
in het hoge gras.
Stil stond ze te kijken
wie daar was.

In het gras zat een konijn
achter een paardenbloemenpluizenbolletjesgordijn.

Dag, konijn. Zat jij net zo te zingen?
Wacht even. Niet wegspringen.

Toen blies de wind en wuifden de pluizenbollen en
grassprietjes.
En Rosa hoorde: Wij zongen net,
voor jou, welkomstliedjes.

Achter de bomen

Achter de bomen stond een huis.
De voordeur stond open.
Een klein meisje kwam
op blote voetjes
door het kralengordijn heen lopen.
Toen ze Rosa zag
bleef ze staan, een kort moment.
Daarna is ze hard terug
het huis in gerend.
Naar haar moeder, zo te horen.

Bij het huis hoorde een toren.
En een naambordje.
Toen Rosa de naam op het bordje las
zag ze dat ze bij het huis van

TOKETORE

was.

Achter het kralengordijn

Toketore zat op een stoel.
Het kleine meisje zat op haar schoot
met haar hoofd achterstevoren.
Zusje, toe, je bent toch al groot.
Je hoeft dat dametje dat daar staat
alleen maar even
je mooie handje te geven.

Mooi niet! Zusje stopte haar handje
zo ver mogelijk weg op haar rug.
Ook al zei Toketore: Ze pakt het niet af, hoor.
Ze geeft je handje meteen weer terug.

En toen

Toen hoorde Rosa
tussen de bloemen om het huis heen
– klimroos, duizendschoon en anemonen –
stemmetjes zeggen:
Ze zal toch zeker wel
een tijdje hiero blijven wonen.
De zon scheen naar binnen.
Toketore zong een lied.
Zusje ontdooide.
En Rosa dacht:
Ja, waarom niet?

Toketore houdt van zingen

Zusje had knalrooie wangetjes,
ze had het zeker warm.
Ze zat bij Toketore
op de blote arm.
Ze waren naar de servieskast gelopen.

Dag, kopje.
Deurtje open.
Kopje erin.
Hoor je hoe daarbinnen
die andere kopjes
van porselein tingelen?
Ze zijn in hun nopjes.
Nu staan ze weer mooi bij elkaar, alle tien.
Klik! Kastje dicht. Kopje gezien.

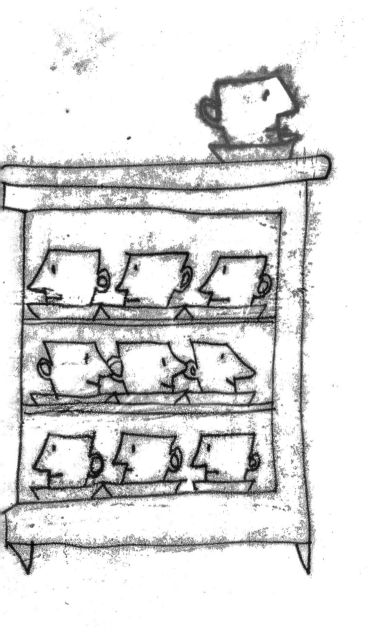

Pap eten

Wat wil je strakjes eten, Zusje?
  Witte lammetjespap.
Hoe wil je die lammetjespap eten, Zusje?
  Uit een lammetjespapnap.
  Met een lammetjespaplepel.
  Een zachte, zonder rand.
Met een lepel van zacht plastic, Zusje?
  Nee, met een lepel van zachte hand.

Bij de katten

Op een mooi rond pluisjesmatje
ligt mooi rond een poesiekatje.
En om dat katje heen
in een kring
mooi rond vanbinnen
zitten zeven mooie katten
rond te snorren
en te spinnen.
En muisjes te eten.
Mmm-muisjes zonder snuitjes.
Mooie ronde roze muisjes
op mooie ronde beschuitjes.

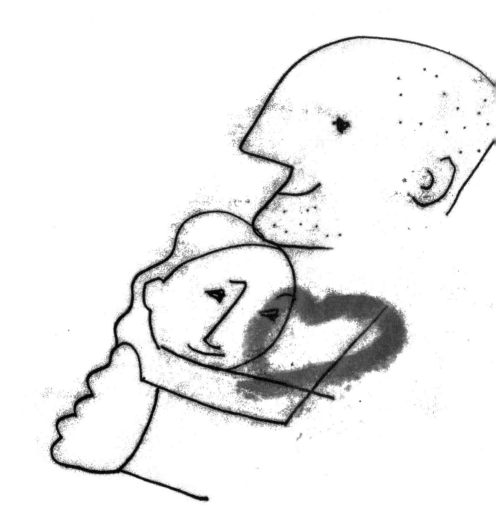

Klopklop

In de borstzak van een vadertje
zat een mannetje met een hamertje.
Het klopte zacht klopklopklopklop.
Waar klopte het zo zachtjes op
met zijn klopklopklopklophamertje?
Op het deurtje.
Op het deurtje van.
Op het deurtje van het
hartkamertje.

Welterusten dwergje

Als ons dwergje
als het donker wordt
zijn huis in wil gaan,
moet hij de trap op
naar zijn deur
en dan helemaal boven aan
die trap van mossige steentjes
op de tien topjes van zijn tien teentjes gaan staan,
kan hij precies
nét bij de klink.

Wat zeg je?

Veel kleiner! Kopje groter hooguit
dan mijn kleine pink.
Ik denk dat ik hem morgen maar weer eens vraag:
Waarom verzet je die klink niet een stuk naar omlaag?

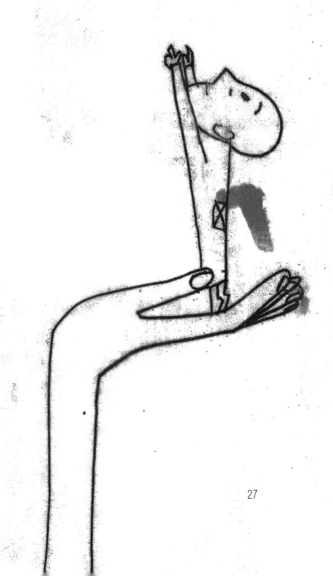

De toren

Het haantje van ijzer
staat verloren
te kraaien
op het topje van de toren.

Het mannetje in de maan wacht.
De torenwijzer schuift naar middernacht.

Beneden in de toren
gaat het stenen deurtje open.
Je kunt zo
met de wenteltrap
naar de torenkamer toe lopen.

Toveruur

Het is schemerdonker in de torenkamer.
In de vensterbank branden stil
witte kaarsjes.
Het hout in de haard vlamt.
Wie strikt de veters los
van je veterlaarsjes?
Wie doet je kousjes uit
en houdt je voetjes bij het vuur?
De klok slaat elf, twaalf.
Vlammenspel.
Toveruur.

De sleutel

Er staat een bed, mooi gedekt:
een zilverglanssprei met lussen,
een wit laken met een rimpelrand,
een wit satijnen kussen.
Midden onder dat wit witte kussen
ligt de sleutel,
doorzichtig als ijs.
En zó groot!
Als de sleutel van de hemelpoort, lijkt wel.
Maar het is de sleutel van het maanpaleis.

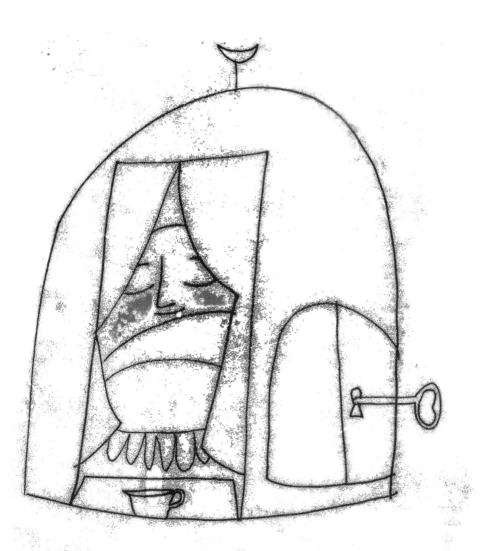

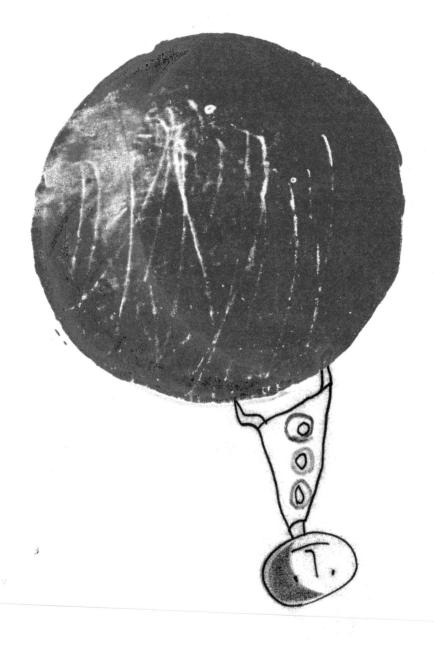

Om niet te verdwalen

De wind is gaan liggen.
Het maanmeisje loopt zacht
blootsvoets over het mospad
door de zoete zomernacht.
Wie kijkt, kan haar zien lopen
met de elfendertig knopen
op haar krijtwit nachtponnetje,
elke knoop een lampionnetje
in de zilveren manestralen.
Die heeft haar moeder erop genaaid
om onderweg niet te verdwalen.

Bedtijd

Het is bedtijd.
Op de overloop
schijnt een lichtgeel lichtpeertje.
Zusje springt in bed, lila nachtpon aan
met het roze teddybeertje.
Toketore heeft het kussen opgeklopt.
En Zusje ingestopt. En nog eens ingestopt.
Ze zegt als het licht in de kamer al uit is,
dat Zusje haar oogappeltje is.
Dan maakt ze in de deur nog
een kushandjesgeluid.
En knipt op de overloop
het kaal lichtpeertje uit.

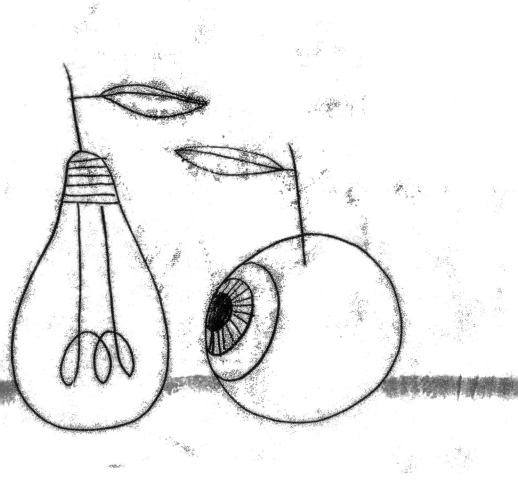

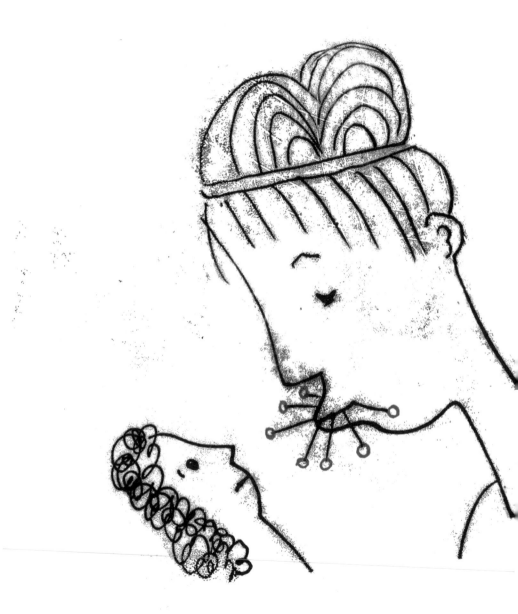

Overdag

Toketore zit met de naaimand
buiten in de groene velden.
Ze naait een rok
met naald en draad
en haar mond propvol knopspelden.
Zusje zit ernaar te kijken met, ongelogen,
een vraag-én-uitroepteken in haar ogen.
Rosa zegt, als ze Zusje zo stomverbaasd ziet:
Die mond van Toketore! Net een speldenkussen,
vind je niet?

Binnen

Wat doe je, Toketore?
   Ik reken.
   Wat doe jij, Zusje?
Ik teken.
   Wat teken je?
De zon.
   Kijken. O ja. Wat lacht hij zoet.
   Zeker omdat hij in zijn sas is met zijn mooie wolkenhoed.
   En wat zijn dit?
Zie je toch wel wat dat zijn:
van de zon, spikkeltjes zonneschijn.

Ga je mee?

Er sloffen twee meisjes
door het mulle zand
met een suikerwit zacht boterhammetje
in de hand.
Ze blijven staan
bij het prikkeldraad
en kijken naar het pasgeboren
lammetje dat daar staat.
Die pootjes!
Ja, prachtig.
Maar zo zenuwachtig.

Bang om zich te branden
aan de hete grond
sprong het witte lammetje
pasgeboren rond.

In het park

Zou dat eigenlijk fijn zitten
in zo'n buidel van huid en haar
in de buik van je moeder?
Zo nog half vast aan elkaar,
zo half erin en half eruit.
Kiekeboe!
Zit je daar wel fijn zo,
kleine kangoeroe?

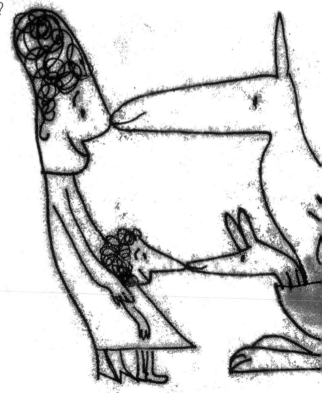

Post

De postbode kwam. Hij had
een brief in de hand.
Een witte envelop
met een rood-wit-blauwe rand.
Zusje huppelt ermee naar binnen.
Post voor ons,
van de koningin!
Laat eens kijken, zei Toketore.
Is post voor mij. Van mijn vriendin.

Mee

Het regent op de radio.
De wind komt van zee.
Zusje draait om de tafel heen.
Ze wordt dadelijk opgehaald.
Ze mag mee naar kleine Dree.
Op tafel liggen twee appels.
Eén voor haar. Eén voor hem.
Zusje draait
en zingt:
Lust je lust je
lust je
klokkenjam?

Achter het huis

Zusje roept: Moet je hier kijken.
Wie heeft die stenen hier gelijmd?
Rosa kijkt.
    O dat. De naaktslak.
Hoe doet hij dat?
    Hij slijmt.
Lijkt wel zilver. Lijkt wel velpon.
    Lijkt wel, maar het is geen lijm.
    Het is een wirwar, een glinsterend slingerspoor
    van slakkenslijm.

Toketore heeft meegeluisterd
en ze zegt:
Potjandriekus, Rosa. Schitterend uitgelegd.

Onderweg

Weet je wat die ene witte geit net
tegen die andere geit zei?
Hij zei: Weet je hoe wij heten?
Wie wij zijn, ik en jij?
Oftewel jij en ik?
Nee, dat dacht ik al. Ze zeggen dat jij
de geitenbok bent. En ik, zeggen ze,
ben – mweh-he – de geitensik.

Wanneer heb je dat gehoord?
Net. Bij de wei.
Niks van gehoord.
Dat kan. Want jij
hebt toch ook andere oren.
Daar kun jij misschien andere dingen
weer heel goed mee horen.

Zusje schrijft

Zusje schrijft met haar vinger
haar eigen naam
in de dunne witte mistlaag
op het beslagen keukenraam.

Niet doen, Zusje.
Alleen gekken en dwazen
schrijven hun namen op
ramen en glazen.

Zusje luistert niet.
Ze speelt schooltje.
Ik wist niet dat ik al zo mooi schrijven kon.

Zusje! Stop! Zo wordt het raam vet!
Het raam vet? Je wordt zelf vet.
Pardon?!

Rosa weet een raadsel

Op de bodem van de zee
borduurt de zeefee
van doorzichtige zeekraaltjes
met meeldraden en garnaaltjes
roze zeemeerminverhaaltjes.
Elke dag een ander.
's Avonds is ze klaar.
Dan knipt ze de meeldraden door met…
precies: een schaar.
Maar omdat de zeefee zelf
geen scharen heeft,
moet ze die gaan lenen bij…
precies: bij de buurvrouw.
En wat is dat voor buurvrouw?
    Een die scharen heeft.
En op de zeebodem woont, hè?
Die buurvrouw is namelijk een…
kreeft.

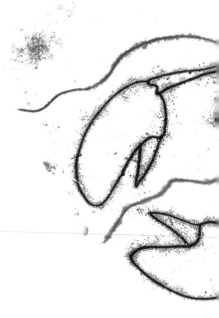

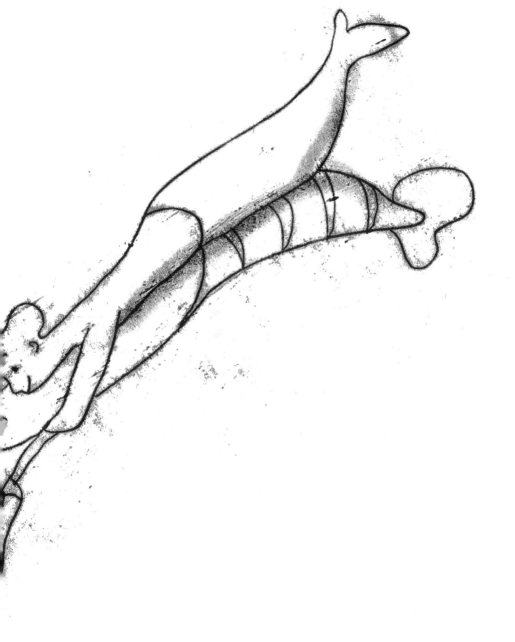

Zusje leest

Zusje zit al de hele dag te lezen
in de leunstoel in de hoek.
Ze wordt geroepen.
Ze hoort niets.
Ze is verdwenen in haar boek.
Toketore gaat kijken.
Wat zit ze toch uit te spoken?
Weer te lezen? Zusje toch!
Wat hadden we nou afgesproken?
Met al dat gelees
bederf je nog je goeie ogen.
Hier, de theedoek.
Geef mij dat boek maar.
Kom maar, even afdrogen.

Nooit meer mee

Ik wil nooit, nooit meer
bij kleine Dree gaan logeren of spelen.
Ik zit me nog liever hier thuis
dood te vervelen.
Ik werd al gelijk misselijk
in de bus naar de trein
en in de trein kreeg ik
ver-schrik-ke-lij-ke buikpijn
en toen moest ik, zo vies! gruwde Zusje,
braken in hun rammelend bestelbusje.
En toen moest ik daar naar bed toe, naar boven
over die donkere trap die zo hol klonk.
En toen werd ik alweer kotsmisselijk
omdat het in het hele huis zo stonk.
    Waar stonk het naar?
Naar wat ze gekookt hadden.
    Wat hadden ze gekookt dan?

Gats! Champignons!

O. Die vind je toch altijd juist heel lekker.

Zusje, je had gewoon heimwee.

Naar ons.

Gedaanteverwisseling

Rosa en Toketore
drinken een kopje thee.
Zusje hangt onderuit
voor de tv.
Met de afstandsbediening in haar hand
zapt ze naar het land van de olifant.

De olifant is in gezelschap.

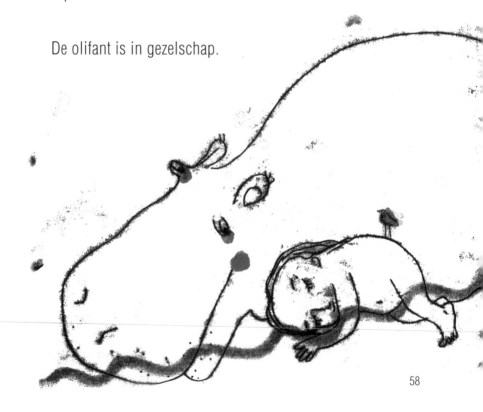

Een rinoceros dribbelt gedwee
op zijn dubbeldikke drabbelpootjes
met de stoffige olifant mee.
En in een modderpoel, dicht naast elkaar,
liggen – Wat zijn dat? Wat liggen daar? –
Dat weet je toch wel, Zusje.
Daar ligt een hippopótamus met zijn hippopótamusje.

Ze liggen daar gewoon te liggen,
half in het water, half op het droge.
Niks bijzonders, maar ineens staan er bij Zusje
zulke tranen te biggelen in de ogen.

Zusje, sust Toketore. Waarom huil je nou? Kom.
Zusje snottert zielig: Ik weet zelf niet waarom.
Als je zelf niet weet waarom, zegt Rosa voor de gein,
zullen die dikke tranen ook wel krokodillentranen zijn.

Zusje kan er niet om lachen.
Zou ik ook niet doen. Jij wel?
Maar ze is ineens wel niet meer zielig.
Helemaal niet! Ze spríngt uit haar vel.

Morgen jarig

Ik geef je een toverprins, Zusje.
Niet te groot en niet te klein.
Hij komt naar je toe met zijn toverpak aan
van hemelsblauw marsepein.
Hij heeft zijn hoge toverhoed op
van pikzwarte dubbelzoute drop,
handschoenen aan van lange vingers,
een stropdas om van karamel.
De knopen op zijn bloes zijn toverballen.
De bloes zelf is van suikerpapiervel.
Zijn sokken zijn van
frisse pepermunt,
zijn schoenen van
pure chocola.
Als hij je vraagt: Zusje,
wil jij mijn toverprinses worden?
Wat is daarop je antwoord dan?
        Eh… Ja.
Dan loop je naar de muurkast toe.

En – oh! – wat hangt daarin?
Je sneeuwwitte toverjapon
met een lange sleep
van suikerspin.

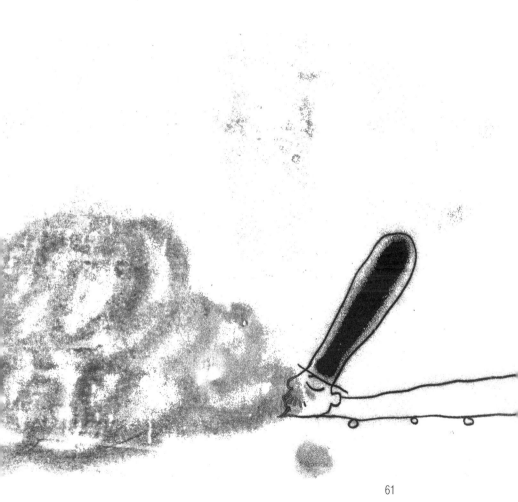

Zusje zingt in het donker

Ik pluk de dag.
Ik pluk de zon.
Ik pluk de nacht.
Ik pluk de maan.
Ik pluk een ster.
En nog een ster,
zo'n met zo'n sterrenstaart eraan.
Hoe heet die ook alweer, Rosa?
    Wat, hoe wie heet?
    Sterrenstaart, bedoel je een komeet?
Ja, komeet. Ik weet trouwens nog meer namen
van nog meer hemellichamen:
Saturnus, Venus, Lucifer,
Mars, Bounty, Sirius, Jupiter,
ennuh…
Grote Beer
ennuh…
Luister je niet meer?
Wat heb je nog gehoord?

Wanneer sliep je al…
bij welk woord?

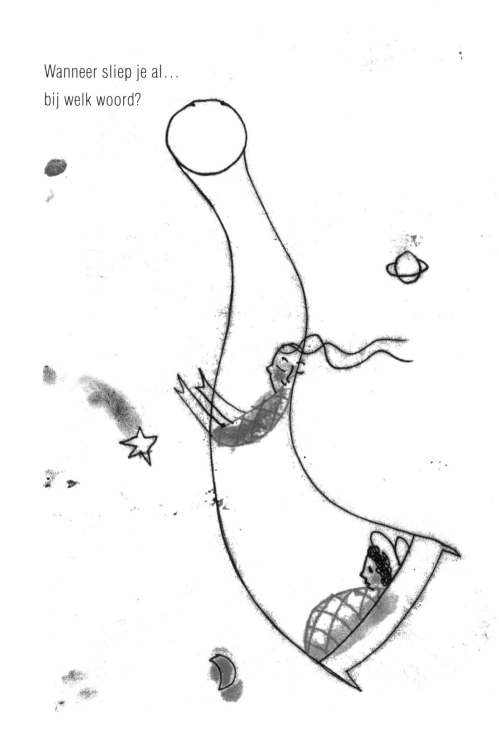